Łezka,

przerażona kotka

Czytaj inne książki Holly Webb:

Biedna, mała Luna
Czaruś, mały uciekinier
Figa tęskni za domem
Gdzie jest Rudek?
Gwiazdko, gdzie jesteś?
Kora jest samotna
Kto pokocha Psotkę?
Ktoś ukradł Prążka!
Łezka, przerażona kotka
Mały Rubi w tarapatach
Mgiełka, porzucona kotka
Na ratunek Rufiemu!
Pusia, zagubiona kotka
Samotne święta Oskara
Smyk, uprowadzony szczeniak
Wąsik, niechciany kotek
W poszukiwaniu domu
Wróć, Alfiku!
Zagubiona w śniegu

Łezka,
przerażona kotka

Holly Webb

Ilustracje: Sophy Williams

Przekład: Jacek Drewnowski

WYDAWNICTWO 🦉 ZIELONA SOWA

Dla Lary

Tytuł oryginału: *The Frightened Kitten*

Przekład: Jacek Drewnowski

Redaktor prowadzący: Sylwia Burdek

Korekta: Teresa Lachowska

Typografia: Stefan Łaskawiec

Skład i łamanie: Bernard Ptaszyński

ISBN 978-83-7895-072-1

Wydawnictwo Zielona Sowa Sp. z o.o.
00-807 Warszawa, Al. Jerozolimskie 96
tel. 22-576-25-50, fax 22-576-25-51
www.zielonasowa.pl
wydawnictwo@zielonasowa.pl

Książkę wydrukowano na papierze Ecco Book Lux 90 g/m^2 wol. 1.8
dostarczonym przez firmę antalis® | map.

Rozdział pierwszy

– Tylko zapakuj to starannie – powiedziała Kasia do Madzi, kładąc folię bąbelkową na kolanach najlepszej przyjaciółki.

Madzia skinęła głową, wygładziła folię i zaczęła owijać nią ramkę z fotografią.

– Benio wygląda pięknie na tym zdjęciu – powiedziała lekko drżącym głosem.

Kasia pokiwała głową.

– Jak zwykle. Ale tę fotografię lubię najbardziej.

Madzia popatrzyła na zdjęcie. Też na nim widniała. Zostało zrobione w zeszłe lato. Była na nim ona oraz Kasia, a między nimi duży czarny kot Kasi, Benio. Gdy dziewczynki siedziały, był niemal równie wysoki jak one.

Roześmiała się, zaskoczona, gdy twardy łebek trącił ją w rękę, po czym Benio wdrapał się na jej kolana, by dokładnie sprawdzić, co dziewczynka robi. Spał na skraju łóżka Kasi, ale najwyraźniej stwierdził, że omija go coś ciekawego. Był najbardziej ciekawskim kotem pod słońcem.

– Myślisz, że będzie mu źle z powodu przeprowadzki? – spytała Madzia, patrząc, jak Kasia pakuje do dużego kartonowego pudła książki i ozdoby ze swojego pokoju, wszystko starannie zapakowane.

– Nie wiem – Kasia wzruszyła ramionami. – W nowym domu jest duży ogród, ale Benio lubi mieszkać tutaj. Tak jak ja – westchnęła żałośnie. – Ciągle mam nadzieję, że tata wróci do domu i powie, że to wszystko pomyłka i wcale nie musi wyjeżdżać do pracy do innego województwa. Ale to już chyba przesądzone – pociągnęła nosem i usiadła na łóżku obok przyjaciółki i Benia.

Madzia objęła ją ramieniem, a Benio przeskoczył na kolana Kasi, po czym stanął na tylnych łapkach, by owinąć przednie wokół jej szyi. Był to jego popisowy numer. Kasia wszystkim mówiła, że ma kota, który umie się przytulać, choć on nie prezentował tego zbyt wielu osobom. Najczęściej Kasi, czasami także Madzi, zwłaszcza jeśli dała mu koci przysmak. Raz nawet objął tatę Madzi, gdy przyszedł po nią i wstąpił na herbatę. Wtedy tata był zaskoczony, ale Madzia zauważyła, że teraz, gdy przychodził po nią, zawsze rozglądał się za Beniem, jakby miał nadzieję, że kot znowu się do niego przytuli.

Madzia od dawna namawiała rodziców na przygarnięcie kota. Była niemal pewna, że tamtego dnia Benio przekonał jej tatę. Teraz musiała tylko nakłonić mamę...

Kasia znowu pociągnęła nosem.

– A jeśli nie spodoba mu się nowy dom? Może wtedy szukać drogi powrotnej tutaj. W gazetach piszą o kotach, które tak robią.

– To chyba za daleko, żeby się odważył – odparła Madzia. Te słowa miały być pociechą, ale wywarły odwrotny skutek. Nie chciała myśleć, jak daleko zamieszka jej przyjaciółka. W dodatku Kasia będzie musiała iść do nowej szkoły. Madzia nie umiała sobie tego wyobrazić.

Kasia zmarszczyła brwi.

– Mam nadzieję, że w pobliżu nowego domu nie ma zbyt wielu kotów. Tutaj Benio rządzi, żaden inny kot nie postawi łapy w naszym ogrodzie. Ale nowy ogród może być już terytorium innego kota.

Madzia opuściła wzrok na Benia, siedzącego teraz wygodnie na kolanach przyjaciółki. Kot ziewnął i przeciągnął się, a potem popatrzył na Madzię wielkimi zielonymi oczami. Przynajmniej on nie wyglądał na zaniepokojonego.

– Nawet jeśli ten ogród jest terytorium innego kota, nie sądzę, żeby było nim zbyt długo – stwierdziła Madzia i go pogłaskała.

Kasia ze śmiechem pokiwała głową.

– Może i tak. Benio nie walczy zbyt często, ale myślę, że kiedy już to robi, to po prostu siada na innych kotach i je miażdży – westchnęła. – Chyba muszę zabrać się za pakowanie. Mama mówi, że powinnam skończyć już wczoraj – delikatnie zepchnęła Benia z kolan, a on czmychnął i schował się między pudłami.

Madzia znowu zajęła się owijaniem zdjęcia folią. Będzie bardzo tęsknić za Kasią. Wiedziała, że Kasia też będzie za nią tęsknić, ale koleżanka trochę przypominała Benia. Była silna, energiczna i pewna siebie. Na pewno szybko zyska nową paczkę przyjaciółek i to im będzie pokazywała swojego słynnego, umiejącego się przytulać kota.

– Podaj mi taśmę, zakleję to pudło.

Madzia podała Kasi taśmę klejącą, po czym zapakowała następną ramkę ze zdjęciem.

– Gdzie się podział Benio? – spytała po kilku minutach.

– Jest pod łóżkiem, no nie? – odrzekła Kasia i się pochyliła.

Lecz kota wcale tam nie było.
Nagle rozległo się dudnienie, a potem stłumione miauknięcie.

– Wlazł do pudła! – Madzia zachichotała.

Kasia popatrzyła na duże kartono-
we pudło, które właśnie zakleiła.

– Nie mógł... – mruknę-
ła, ale nie była tego pewna.

Zerwała taśmę i wieko rozchyli-
ło się, po czym wyłoniła się duża,
czarna głowa z błyszczącymi gniewnie, zielonymi oczami. Benio wygra-
molił się ze środka i syknął ze złością.

– Nie powinieneś tu wchodzić! –
Kasia parsknęła śmiechem. – Jesteś
zbyt wścibski!

Madzia też się śmiała. Ale cały czas myślała, że będzie za nimi bardzo tęsknić...

Kasia i jej mama odprowadziły Madzię do domu – szło się tam zaledwie pięć minut, a dzień był ciepły i słoneczny. Idealna pogoda na ferie wielkanocne. Gdyby Kasia nie wyjeżdżała już jutro, spędziłyby mnóstwo czasu w parku, a może nawet wybrałyby się na jakąś wycieczkę.

– Te koty, które mieszkają w sąsiednim domu, są prawie takie duże jak Benio – zauważyła mama Kasi, gdy doszły do ogrodu Madzi.

– Znowu siedzą na żonkilach mamy – Madzia westchnęła, wbiegła do ogrodu i próbowała przegonić dwa duże rude koty siedzące na kamiennej donicy, w której mama zasadziła mnóstwo cebulek. Z jakiegoś powodu Tygrys i Kitek uznały, że to świetne miejsce do siedzenia, przez co żonkile były już trochę połamane.

Jej mama otworzyła drzwi wejściowe.

– Słyszałam, że idziecie, dziewczynki. O nie, znowu te okropne kocury!

Tygrys prychnął na Madzię z wściekłością, gdy próbowała zepchnąć go
z kwiatów, a potem miauknął. Był zupełnie inny niż uroczy, łagodny Benio.
W końcu zeskoczył i oba koty oddaliły
się wolnym krokiem, oglądając się na
Madzię.

Gdy mamy rozmawiały, Kasia zarzuciła przyjaciółce ręce na szyję.

– Obiecaj, że będziesz codziennie
dzwonić! Opowiadaj o wszystkim, co
się dzieje w szkole, dobrze?

Madzia pokiwała głową.

– I pamiętaj, że masz przyjechać na
długi weekend.

– Lepiej już chodźmy – powiedziała mama Kasi. – Jutro czeka nas długi
dzień, a przed nami jeszcze trochę pa-
kowania.

I było po wszystkim. Kasia i jej mama odeszły alejką, pomachały na pożegnanie i Madzia została sama.

— Skończyłam — oznajmiła Madzia, odsuwając niedojedzony obiad. Mama ugotowała jej ulubiony makaron, ale dziewczynka po prostu nie była głodna.

Tata nachylił się i objął jej ramiona.

— Myślisz, że powinniśmy jej powiedzieć? Pocieszyć ją? — zwrócił się do mamy, a ona skinęła głową.

— Co powiedzieć? — Madzia ze smutkiem pociągnęła nosem.

— Pamiętasz, jak mówiłam ci, że kotka mojej przyjaciółki Danusi ma kocięta? — spytała mama.

– O tak. Pokazywałaś mi zdjęcie w telefonie. Kocięta były śliczne. Niektóre miały ubarwienie tricolor, a to moje ulubione!

– To dobrze się składa. Jeden z nich będzie twój!

Dziewczynka zamrugała powiekami.

– Dostanę kotka?

– Możesz wybrać, którego chcesz. Danusia chce znaleźć domy dla wszystkich, a my uznaliśmy, że będzie ci miło, jeśli dostaniesz kota, skoro od tak dawna o tym marzysz. Zwłaszcza że teraz na pewno będziesz tęskniła za Kasią. Może dzięki kotkowi Wielkanoc nie będzie aż taka smutna – mama popatrzyła na córkę z niepokojem. – Nie chcemy odwrócić twoich myśli od tęsknoty, Madziu. To naprawdę przykre, że twoja przyjaciółka się wyprowadza.

– Po prostu ten moment wydał nam się odpowiedni – dodał tata.

Madzia skinęła głową.

– Jest odpowiedni – szepnęła. Choć nic nie mogła poradzić na to, że ciągle było jej smutno z powodu przeprowadzki Kasi, w głębi duszy miała ochotę skakać i krzyczeć z radości: „Kotek! Kotek! Dostanę kotka!".

Rozdział drugi

Mama pokazała Madzi więcej zdjęć kotków, ale zwierzątka nie były zbyt dobrze widoczne na ekraniku telefonu. Trzy były rude, a dwa trójbarwne – piękne czarno-biało-rude kociaki. Wszystkie leżały skulone i wtulone w siebie nawzajem oraz w matkę, która była czarna, tak jak Benio. Madzia chciała dostać kociątko trikolor

– Tygrys i Kitek zniechęciły ją do rudzielców.

– Kiedy mogę je zobaczyć? – spytała następnego ranka przy śniadaniu.

Mama uśmiechnęła się.

– Uzgodniłam, że odwiedzimy je dziś po południu. A jeśli zdecydujesz, którego kotka chcesz, możesz wziąć go do domu już dzisiaj! Po drodze do Danusi moglibyśmy wstąpić do sklepu zoologicznego i kupić wszystko, co będzie potrzebne kociakowi.

Okazało się, że potrzebnych jest bardzo dużo rzeczy. O legowisku Madzia pomyślała. I o miseczce również. Ale nie zdawała sobie sprawy, że będą musieli kupić tak wiele innych rzeczy: obróżkę, szczotkę do czesania, karmę, specjalne przysmaki, dzięki którym kotek będzie miał zdrowe zęby, oraz oczywiście zabawki...

Już mieli zapłacić za wszystko i wyjść, gdy mama się zatrzymała.

– Oj, jestem nieprzytomna! Zapomniałam – Danusia mówiła, że potrzebny będzie transporterek, aby przewieźć kotka do naszego domu.

Madzia uśmiechnęła się do siebie i pomyślała – „Do domu!". Bardzo podobała jej się myśl, że ich dom będzie domem także dla małego kotka.

– Jeśli kupicie coś jeszcze, w samochodzie nie będzie miejsca dla kotka – mruknął tata, ale dziewczynka wiedziała, że tylko żartuje.

– Możemy już jechać do pani Danusi? – spytała z nadzieją, gdy kilka
minut później pakowali wszystko do
bagażnika.

Mama skinęła głową i uściskała
córkę.

– Bardzo się cieszę z kociaka.

Madzia zarzuciła jej ręce na szyję.

– Ja na pewno bardziej.

Tata wsiadł do samochodu i zatrąbił.

– Chodźcie już. Jestem bardzo cie-
kawy i chciałbym jeszcze dzisiaj
zobaczyć te kociaki!

– Oj, popatrzcie na nie! – wykrzyknęła Madzia. Przystanęła w drzwiach
kuchni i patrzyła. Wszystkie kocięta

spały w dużym koszu w kącie pokoju. Kosz stał przy kaloryferze, a podłogę dookoła zasłano gazetami.

– Trening czystości bardzo dobrze im idzie. Gazety leżą tylko na wypadek, gdyby nie zdążyły do kuwety – wyjaśniła pani Danusia. – Do tej pory trzymaliśmy je w kuchni, ale w tym tygodniu ciągle uciekają!

– Ile już mają? – spytała Madzia. Wydawały się takie maleńkie! Nie chciało jej się wierzyć, że są już gotowe na rozstanie z mamą.

– Wczoraj skończyły dziesięć tygodni. Kiedy się okazało, że Drapka jest w ciąży, kupiliśmy książkę o wychowaniu kociąt, a w niej radzono, by trzymać je przy matce do tego wieku, żeby zdążyła nauczyć je wszystkiego, co powinny wiedzieć. Poza tym w ten sposób spędzą więcej czasu z rodzeństwem i nauczą się wzajemnych kontaktów.

– Planowałaś w ogóle, że Drapka będzie miała kociaki? – spytał tata Madzi.

Pani Danusia westchnęła.

– Nie, to było kompletne zaskoczenie. Chcieliśmy wysterylizować Drapkę, ale za długo to odkładaliśmy. Gdy tylko wróci do normalnego stanu po urodzeniu kociąt, zabierzemy ją do weterynarza. Kocham małe kotki, ale więcej ich nie chcę!

– Chce pani któreś zatrzymać? – spytała Madzia, klękając przy koszu. – Nie wyobrażam sobie, jak może je pani oddać, są takie cudowne.

Pani Danusia pokiwała głową.

– Wiem. Chciałabym je zostawić, bo Drapka będzie smutna, kiedy je straci, ale zawsze chcieliśmy mieć tylko jednego kota! Jeszcze zobaczymy. Sporo ludzi jest zainteresowanych ich adopcją – uśmiechnęła się do Madzi. – Ale ty możesz wybrać pierwsza. Twoja mama zarezerwowała kociaka już kilka tygodni temu!

Dziewczynka podniosła na mamę wdzięczne spojrzenie.

– Dzięki, mamo!

– Okazja wydawała się idealna. Jesteś już wystarczająco duża, żeby opiekować się zwierzęciem.

– Będę się bardzo starać, obiecuję – powiedziała Madzia. – Będę nawet sprzątać kuwetę. – Zaglądając do legowiska, była pewna, że da sobie radę ze wszystkimi obowiązkami. Kocięta usłyszały ich głosy i zaczęły się budzić. Drapka z uwagą przyglądała się Madzi, wyraźnie pilnując swoich dzieci.

Jedno z rudych kociąt wysunęło łebek i z zaciekawieniem popatrzyło na dziewczynkę. Roześmiała się, a zaskoczone zwierzątko szerzej otworzyło oczy.

– Oj, przepraszam! – szepnęła. – Nie chciałam cię przestraszyć.

Wszystkie kocięta już się obudziły i patrzyły na nią dużymi zielonymi oczami. Madzia westchnęła.

– Jak mam wybrać jedno z was? – mruknęła. Nie sądziła, że mogłaby mieć rudego kociaka, ale one też były urocze – ich różowe noski kontrastowały z pomarańczową sierścią.

Trójkolorowe kociątko oparło łapki na boku legowiska i trąciło noskiem dłoń Madzi. Nosek był zimny i łaskotał, ale dziewczynka stłumiła śmiech. Nie chciała spłoszyć malucha.

– Czy to kotka? – spytała szeptem. Domyślała się, że rude kocięta to chłopcy, a trójbarwne – dziewczynki, wiedziała jednak, że nie zawsze tak jest.

– Tak, jest słodka. Bardzo przyjazna, uwielbia, kiedy głaszcze się ją po łebku.

Kotka popatrzyła z nadzieją na dziewczynkę, która delikatnie podrapała ją w czubek głowy. Benio zawsze to lubił. Kicia zamruczała i przekręciła łebek na bok, wciskając się pod rękę Madzi.

– Jest śliczna – stwierdziła cicho mama dziewczynki.

– Możemy ją wziąć? – spytała Madzia. Kotka ciągle mruczała i tuliła się do jej dłoni. Była taka mała i taka cudowna! Dziewczynka bardzo chciała ją wziąć na ręce, ale nie miała pewności, czy powinna.

Kotka sama rozwiązała ten problem, gramoląc się przez krawędź legowiska. Było elastyczne, a boki miało tak wysokie, że kotka wyglądała, jakby próbowała wydostać się z miękkiego zamku. Przy tym wszystkim było dużo drapania, ale w końcu maleństwo wylądowało na podłodze i wyglądało na bardzo dumne z siebie, gotowe podjąć wspinaczkę na kolana Madzi.

– Ooo, masz pazurki – dziewczynka zachichotała i ostrożnie wsunęła dłoń pod brzuszek kotki, by trochę jej pomóc. Kotka dostała się wreszcie na jej kolana i wydawała się dość zmęczona po tym wysiłku, zamruczała jednak głośno, gdy dziewczynka zaczęła ją głaskać.

– Zdaje się, że ona też chce być nasza – powiedział tata i wyciągnął palec, by podrapać kicię za uszami. – Jak ją nazwiemy?

Madzia popatrzyła w dół na kotkę, która właśnie zwijała się w zgrabną kulkę.

– Widzicie tę rudą łatę na jej grzbiecie? Nie macie wrażenia, że kształtem przypomina łezkę?

– Łezka? – mama roześmiała się. – Bardzo ładne imię dla kotki. Rzeczywiście ta łata wygląda jak łezka na tle białej sierści.

Madzia pokiwała głową.

– To będzie dla niej idealne imię.

Madzia miała całą resztę ferii wielkanocnych na to, by poznać Łezkę i się z nią bawić. Rodzice mieli rację – dzięki kotce dziewczynce zostało mniej czasu na zamartwianie się powrotem do szkoły bez Kasi. Miała też dużo czasu na czytanie. W sklepie zoologicznym kupiła książkę o kotach, a z biblioteki wypożyczyła ich jeszcze kilka.

– Czy pani Danusia zabrała kociaki na pierwsze szczepienia? – Madzia spytała mamy przy śniadaniu nazajutrz po przyniesieniu Łezki do domu.

Łezka siedziała na kolanach dziewczynki i z nadzieją spoglądała na jej śniadanie. Kotka pewnie myślała, że płatki są bardzo podobne do jej kocich krokiecików, chociaż nie pachną tak samo. Wyciągnęła szyję i powąchała je. Z pewnością nie były to kocie krokieciki, ale i tak pachniały bardzo smacznie. Łezka oparła przednie łapki na krawędzi stołu i różowym jak malina języczkiem zlizała krople mleka, które Madzia rozlała.

Było słodkie i zimne. Łezka lekko zadrżała zadowolona. Dziewczynka przeglądała książkę o kotach i nie zauważyła, że kicia przesuwa się troszkę do przodu, po czym wkłada język do miseczki, by wychłeptać resztę mleka. Posilała się dłuższą chwilę, nim Madzia to zauważyła.

– Łezko! Nie wolno ci tego jeść! Oj, mamo, zobacz, ona ma całe wąsiki w mleku!

Łezka usadowiła się z powrotem na kolanach dziewczynki i radośnie oblizywała wąsiki. Wolała swoją karmę, ale taka odmiana była całkiem miła...

– Masz ci los! Taka odrobina nie powinna jej zaszkodzić. Skończyłaś już, tak? A wracając do sprawy, owszem, Danusia dała nam świadectwo szczepień – mama zajrzała do teczki, która leżała na blacie. – Zrobiła je mniej więcej trzy tygodnie temu.

Madzia jeszcze raz zerknęła do książki.

– W takim razie musimy Łezkę niedługo zabrać do weterynarza! Powinna mieć drugie szczepienie trzy tygodnie po pierwszym. A potem, kiedy miną kolejne trzy tygodnie, będzie mogła w końcu wyjść na zewnątrz.

– Zgadza się, to samo napisała tu Danusia. Powiedziała też, że powinniśmy wtedy wszczepić Łezce mikroczip.

Dziewczynka przytaknęła. W książce także była o tym mowa. Maleńki czip wszczepiało się pod skórę na karku kociątka. Czip zawierał specjalny numer, dzięki któremu każdy

weterynarz mógł łatwo zidentyfiko-
wać Łezkę, gdyby się zgubiła.

– Jutro zadzwonię do weterynarza,
Madziu. W niedzielę klinika jest pewnie zamknięta.

Madzia przytaknęła.

– Coś mi się przypominało! Mogę
zadzwonić do Kasi, mamo? Muszę jej
opowiedzieć o Łezce!

Na szczęście okazało się, że weterynarz ma wolny termin w poniedzia-
łek po południu, bo ktoś odwołał
wizytę. Madzia chciała jak najszybciej zaszczepić Łezkę, żeby móc
bawić się z nią w ogrodzie. Wiedziała,
że kicia będzie zachwycona. W domu

była bardzo odważna. Ciągle wspinała się na meble, uwielbiała też buszować pod kołdrą Madzi, a potem znienacka na nią wyskakiwać.

W trakcie podróży do weterynarza Madzia postawiła transporterek obok siebie na tylnym siedzeniu, a Łezka z niepokojem spoglądała na nią ze środka. Kotka dotychczas tylko raz siedziała w transporterku, w czasie podróży do domu Madzi, i myślała, że teraz może wracają do jej dawnego domu. Łezka tęskniła do zabaw z braćmi i siostrami, ale harce z Madzią były równie miłe, a przede wszystkim dziewczynka nie wskakiwała na kotkę i nie próbowała gryźć jej uszu, tak jak najstarszy rudy brat. Łezka zdecydowanie wolała dom Madzi.

Kotka wydała z siebie żałosny jęk, gdy dziewczynka wyniosła transporterek z samochodu, lecz po chwili dostrzegła, że wcale nie przyjechały do poprzedniego domu.

Pomieszczenie pachniało bardzo dziwnie. Ostra, chemiczna woń drażniła wrażliwy nosek kotki, ale była zarazem jakby znajoma. Czy Łezka już tu kiedyś była?

Madzia postawiła transporterek na podłodze i Łezka zaczęła podejrzliwie węszyć. Poczuła dziwną, niepokojącą woń. Kotka rozpoznała, że to zapach psa. Do jej dawnego domu raz przyszedł pies i wcale jej się nie spodobał. Teraz poruszyła się niespokojnie, bo pies zbliżał się do niej.

Łezka wydała z siebie przerażony pisk, gdy przed jej transporterkiem pojawił się kudłaty pysk. Szczeniak ostrożnie zajrzał do środka i trącił nosem druciane drzwiczki.

Kotka zjeżyła się, sierść stanęła jej dęba, a ogon zrobił się puchaty i dwa razy większy niż zwykle. Syknęła na psa z wściekłością. To był przecież jej transporterek! Machnęła mu pazurkami przed nosem, ale zadrapała tylko druty.

– Barni, nie! – zawołał jego właściciel. – Oj, bardzo przepraszam, mam nadzieję, że nie przestraszył kici.

Mama Madzi roześmiała się.

– Właściwie zdaje mi się, że próbowała się bić. To bardzo zadziorne maleństwo.

Dziewczynka z niepokojem zajrzała do środka.

– Nic ci nie jest? Przepraszam, Łezko, pomagałam mamie wypełnić formularze. Nie zauważyłam, co się dzieje. – Po chwili uśmiechnęła się z ulgą. Łezka siedziała w transporterku z ogonkiem owiniętym wokół łapek, jakby wcale się nie bała jakiegoś psa!

Rozdział trzeci

— Będzie za mną tęsknić, kiedy będę w szkole — powiedziała Madzia z niepokojem. Miała kurtkę, plecak, torebkę z drugim śniadaniem oraz kociątko, siedzące na ramieniu i z zainteresowaniem obwąchujące plecak. — Pierwszy raz nie będzie mnie tutaj, żeby się z nią bawić.

– Ale ja tu będę – zauważyła mama. Pracowała na niepełny etat w innej szkole, więc miała wolne poniedziałki i piątki. – Będę się z nią bawić, obiecuję. A jutro tata pracuje w domu. Łezka stopniowo przywyknie do tego, że zostaje sama. Wszystko będzie dobrze.

Dziewczynka z powątpiewaniem pokręciła głową. Przez całe święta bawiła się z Łezką i ją głaskała. Teraz nie mogła sobie wyobrazić całego dnia w szkole bez niej. I bez Kasi...

– Chodź, Madziu. Musimy już iść.

Dziewczynka westchnęła i ostrożnie odczepiła pazurki Łezki od kurtki. Delikatnie odstawiła kotkę i poczochrała jej uszka.

– Bądź grzeczna – powiedziała. – Niedługo wrócę.

Kicia podniosła na nią wzrok. Nie rozumiała, co się dzieje, ale po głosie poznawała, że dziewczynka nie jest szczęśliwa. Wydała z siebie ciche, niepewne miauknięcie i poklepała łapką nogę dziewczynki, prosząc, by ta znowu ją podniosła.

– Madziu, już – poleciła mama z naciskiem, widząc, że córka jest bliska płaczu. Gestami wskazała jej drzwi i Łezka została w domu zupełnie sama.

Kotka przez chwilę siedziała przy drzwiach, licząc, że wrócą, ale nie słyszała żadnych kroków na chodniku. Była zdezorientowana, nie rozumiała, dlaczego Madzia sobie poszła. W końcu podreptała z powrotem do kuchni. Czasem widziała, jak Madzia, mama i tata korzystają z tylnych drzwi, ale kotce nie wolno było jeszcze przez nie wychodzić. Czekała z nadzieją, że może wejdą właśnie tamtędy.

Łezka czekała bardzo długo, ale tylnymi drzwiami też nikt nie wszedł do środka. Zaczęła więc wędrować po domu, pomiaukując co jakiś czas. Kotka nie wiedziała, gdzie się wszyscy podziali i czy wrócą. Przez chwilę patrzyła na schody, ale wspinaczka ciągle była dla niej zbyt trudna. Madzia kilka razy wnosiła ją na górę, ale samodzielne pokonanie całych schodów zajmowało kotce całe wieki.

Smętnie poczłapała do salonu i, czepiając się pazurkami, wdrapała się po fioletowej narzucie, którą mama

Madzi zasłała kanapę. Było już na niej sporo drobnych śladów pazurków, Łezka bowiem szybko odkryła, że oparcie sofy to znakomite miejsce do obserwacji. Usiadła, wyglądając przez okno z nadzieją, że zobaczy nadchodzącą Madzię.

Zamiast niej ujrzała duży, rudy pyszczek i wpatrzone w siebie oczy.

Kotka była tym tak zdumiona, że odskoczyła w tył z przerażonym miauknięciem i spadła na siedzisko kanapy.

Nie wiedziała, co to było. Czyżby inny kot zaczaił się w jej ogrodzie? Łezka jeszcze nigdy nie wychodziła do ogrodu, ale była niemal pewna, że należy do niej. Siedziała na kanapie roztrzęsiona, nie mając odwagi na to, by wspiąć się ponownie na oparcie i jeszcze raz wyjrzeć przez okno. Tamten kot był od niej znacznie większy. Łezka bała się, że może ciągle tam jest. W końcu znowu wdrapała się po narzucie i wyjrzała zza oparcia.

Wielki rudy kocur zniknął.

Łezka poczuła taką ulgę, że skuliła się na oparciu i zasnęła.

– Wszystko było w porządku, Madziu! – powiedziała mama, gdy wyszły ze szkoły. – Kiedy wróciłam po tym, jak odwiozłam ciebie i zrobiłam zakupy, spała na oparciu kanapy. A przez resztę dnia co jakiś czas ją głaskałam i czuła się bardzo dobrze.

Dziewczynka pokiwała głową z wyraźną ulgą. Przyspieszyła, aby szybciej znaleźć się w domu i spotkać się z Łezką.

– O, zobacz, wygląda przez okno i na nas czeka! – Madzia się rozpromieniła. Pobiegła ścieżką przez ogródek, patrząc, jak kotka zeskakuje z oparcia kanapy. Słyszała cichy szurgot łapek, a potem gorączkowe miauczenie i odgłos drapania drzwi. Gdy tylko mama je otworzyła, dziewczynka podniosła Łezkę i mocno ją przytuliła.

– Ciekawe, czy nas wypatrywała i dlatego weszła na oparcie?

– Możliwe – mama parsknęła śmiechem. – Chociaż myślę, że jest po prostu wścibska. Lubi obserwować przechodzących ludzi. Tak czy owak, jak było w szkole?

Madzia zauważyła, że mama stara się ukryć troskę w głosie. Wzruszyła ramionami.

– Okej.

– Z kim siedziałaś?

– Z Lucynką. I z Romą.

– I było w porządku?

– Mhm – Madzia nie chciała mówić mamie, że cały dzień była smutna i samotna. I że choć Lucynka i Roma były bardzo miłe, prawie z nimi nie rozmawiała. Ciągle myślała, że to przyjaciółki Kasi, a nie jej, i że tak naprawdę wcale nie chcą się z nią zadawać. Na szczęście na długiej przerwie grały w koszykówkę, więc nie musiała sama snuć się po boisku. Ale nie na każdej długiej przerwie była koszykówka.

Następnego dnia w szkole wcale nie było łatwiej, podobnie jak kolejnego, ale Madzia miała przynajmniej na pociechę czekającą w domu Łezkę. I wprost nie mogła się doczekać soboty. Weterynarz powiedział, że Łezka może wtedy w końcu wyjść do ogrodu, mimo że od szczepienia nie minęły jeszcze pełne trzy tygodnie. Zapewnił, że nie ma problemu, jeśli nie będzie się spotykała z innymi kotami.

W sobotni poranek Madzia nie dała kotce tak obfitego śniadania jak zwykle. A na wypadek, gdyby długo bawiły się w ogrodzie, dziewczynka zabrała pełną torebkę ulubionych kocich krokiecików o smaku kurczaka.

Łezka wciąż wpatrywała się podejrzliwie w swoją miseczkę i zastanawiała się, dlaczego zjedzenie śniadania zajęło jej mniej czasu niż zazwyczaj, gdy nagle zauważyła, że tylne drzwi są otwarte na oścież. Oczywiście już wcześniej widywała je otwarte, ale wtedy zawsze ktoś ją mocno trzymał, i zatrzaskiwał je tak szybko, że nie mogła się wyswobodzić i podejść bliżej. Łezka podkradła się teraz do drzwi, pochylona nisko nad podłogą, spodziewając się, że w każdej chwili złapie ją albo Madzia, albo jej mama.

Ale Madzia była na zewnątrz! Stała przy drzwiach i wołała kicię! Łezka wybiegła tak szybko, że omal się nie przewróciła na progu. Otrząsnęła się ze złością i podreptała ścieżką do dziewczynki.

Ile tu było zapachów! Łezka z ciekawością powąchała trawę i trąciła ją łapką. Źdźbła były chłodne, wilgotne i wyższe od niej!

– Masz przysmaki? – w drzwiach pojawiła się mama. – Na wypadek, gdyby Łezka próbowała uciekać. Pamiętaj, że jeśli się postara, może przejść pod ogrodzeniem.

Madzia pomachała foliowym woreczkiem.

– Wszystko w porządku. O, mamo, spójrz! Zobaczyła motyla!

Pomarańczowy motyl fruwał beztrosko nad noskiem Łezki, która patrzyła na niego ze zdumieniem. Wcześniej Madzia dawała jej do zabawy kawałki sznurka i pierzaste zabawki, ale czegoś takiego kotka jeszcze nie widziała. Wyciągnęła łapkę i próbowała pacnąć owada, a potem chciała to zrobić drugą łapką, lecz motyl poleciał za nią i omal się nie przewróciła, próbując go ścigać.

– Nie możesz go zjeść, Łezko – powiedziała ze śmiechem Madzia. – Myślę, że motyle nie są dla ciebie zdrowe. To same nóżki i skrzydełka. Założę się, że nie są smaczne.

Kicia patrzyła za motylem, który, machając szybko skrzydełkami, przeleciał nad płotem do sąsiedniego

ogrodu. Zdaniem kotki wyglądał nad-
zwyczaj smakowicie. Nie potrafiła
jednak sforsować wysokiego ogrodze-
nia, by ruszyć w pogoń.

Rozdział czwarty

Madzia i Łezka tyle czasu spędzały na zabawach w ogródku, że w kolejny piątkowy wieczór tata dziewczynki postanowił zrobić jej niespodziankę. Teatralnym gestem postawił przyniesione pudło obok kociego legowiska.

– Co to? – spytała Madzia, wyciągając szyję, by zobaczyć przód pudła.

Łezka zamrugała zaspanymi oczami. Była wyczerpana bieganiem z Madzią po ogródku, gdy dziewczynka wróciła ze szkoły.

– O, kocie drzwiczki! Dzięki, tato!

– Możemy zamontować je jutro. Minęły ponad trzy tygodnie od szczepienia Łezki, więc może już wychodzić sama z domu.

Dziewczynka pokiwała głową.

– Też tak uważam. Ale ona nie ma jeszcze czternastu tygodni. Jest taka malutka!

– Ale wydaje mi się, że koty lubią badać otoczenie – zauważył tata. – Będzie mogła wspinać się na drzewa, ganiać motyle...

Łezka nagle się ożywiła, podskoczyła na swoim legowisku i rozejrzała się ciekawie, nadstawiając uszu. Tata roześmiał się.

– Sama widzisz!

Madzia martwiła się, że Łezka może nie dać sobie rady z drzwiczkami albo że po prostu jej się nie spodobają. Kasia mówiła jej, że Benio przywykł do swojej klapki dopiero po dłuższym czasie. Wolał, gdy ktoś otwierał mu tylne drzwi. Lecz Łezka szybko się zorientowała, jak działają drzwiczki i natychmiast się nimi zachwyciła. Przez większą część sobotniego popołudnia wskakiwała przez nie i wyskakiwała, co pięć minut wracając do kuchni, by sprawdzić, czy dziewczynka ciągle tam jest.

Madzia trochę się niepokoiła, że kotka może się zapuścić do któregoś z sąsiednich ogrodów, a jednak Łezka, mimo że obwąchiwała dziury pod ogrodzeniem, najwyraźniej nie miała ochoty się do nich wczołgiwać. W ogródku Madzi miała wystarczająco wiele ciekawych zajęć.

W niedzielę rano Madzia odrabiała lekcje przy kuchennym stole, a Łezka leżała skulona na jej kolanach. Zadanie z przyrody zajmowało dziewczynce bardzo dużo czasu. Pewnie dlatego, że ciągle przypominała sobie piątkową lekcję z tego przedmiotu. Musiała pracować w parze z Sandrą, której wcale nie lubiła. Sandra przez cały czas wygłaszała złośliwe komentarze. Teraz za każdym razem, gdy Madzia próbowała opisać różnice między ciałem stałym a cieczą, przypominało jej się, jak bardzo brakuje jej wspólnej pracy z Kasią. Była pewna, że Kasia powiedziałaby o Sandrze coś śmiesznego.

Przynajmniej zobaczyła na lekcji, jak Beata, która siedziała w ławce za nimi, robiła do Sandry miny. Mrugnęła porozumiewawczo do Madzi, co oznaczało „nie zwracaj na nią uwagi", a Madzia uśmiechnęła się w odpowiedzi.

Teraz Łezka ziewnęła i leniwie zeskoczyła z jej kolan, by ruszyć do kocich drzwiczek. Znudziło ją sie-

dzenie bez ruchu, a Madzia najwyraźniej nie miała ochoty na zabawę.
Kotka próbowała ganiać kredki po
stole, lecz dziewczynka odsunęła je,
zamiast je turlać, zachęcając kotkę
do zabawy.

Ogród pełen był ciekawych zapachów, a wokół krzaczków lawendy
brzęczały pszczoły. Łezka przyglądała
im się z fascynacją, poruszając ko-
niuszkiem ogona. Patrzyła z tak bliska, że nie dostrzegła Tygrysa i Kitka,
przekradających się pod ogrodzeniem.
Dopiero gdy oba duże rude kocury
znalazły się tuż za nią, usłyszała, jak
czołgają się przez wysoką trawę,
i natychmiast się obróciła. Kotka była
pewna, że to jeden z tych kotów wpa-
trywał się w nią przez okno.

Rude koty pełzły w jej stronę z płasko położonymi uszami. Łezka schowała się za krzaczek lawendy. Nie rozumiała, co się dzieje, ale wiedziała, że kocury nie są przyjaźnie nastawione. Jej ogon zjeżył się i rzuciła nerwowe spojrzenie w stronę drzwi. Kotka nie była pewna, czy zdąży dobiec do kocich drzwiczek. A jeden z kocurów, ten z naderwanym uchem, stał pomiędzy nią a domem i kołysał ogonem na boki.

Tygrys, ten z ciemniejszymi prążkami, stanął z nią teraz oko w oko, sycząc i świdrując ją spojrzeniem. Łezka była dosłownie wciśnięta w krzaczek lawendy i nie mogła cofać się dalej.

Tygrys pacnął ją w łebek ogromną łapą, aż się przeturlała i żałośnie miauknęła. Co miała robić? Dlaczego te koty ją atakowały?

W domu Madzia wciąż wpatrywała się ponuro w swoją pracę domową. Podniosła wzrok, gdy do kuchni weszła jej mama, wyraźnie zaniepokojona.

– Madziu, słyszysz ten dziwny dźwięk? Zupełnie jak płacz małego dziecka. Takie jakby jęki.

Dziewczynka podskoczyła i gwałtownie odsunęła krzesło od stołu, po czym pobiegła do tylnych drzwi. Nie zwracała uwagi na ten odgłos, lecz teraz była pewna, że to Łezka.

Otworzyła drzwi na oścież i Kitek odwrócił się, sycząc, lecz Tygrys ani Łezka nie zwróciły na nią uwagi. Oba koty znajdowały się teraz na środku trawnika, a Tygrys wyglądał na trzy razy większego od Łezki, zwłaszcza z nastroszoną sierścią. Koty ciągle wydawały dziwne, jękliwe dźwięki, krążąc wokół siebie. Na oczach Madzi kocur znowu skoczył na Łezkę i razem zaczęły turlać się po trawie, szamocząc się i drapiąc.

– Przestań! – krzyknęła dziewczynka. Podbiegła szybko i odepchnęła Tygrysa, nie zważając na syki i drapanie po rękach. Złapała Łezkę i ją podniosła, po czym nakrzyczała na rude kocury, które czmychnęły pod płotem do sąsiedniego ogródka.

– Madziu, nic ci nie jest? – mama wybiegła z domu. – Wszystko przebiegło tak szybko, że nie wiedziałam, co się dzieje. Czy Łezce coś się stało?

– Raczej nie, ale jest roztrzęsiona – Madzia wniosła kicię do środka. – Co za okropne kocury!

Jej mama westchnęła.

– Pewnie się przyzwyczaiły, że przychodzą do naszego ogródka.

Uważają, że Łezka weszła na ich terytorium.

– Ale to nieprawda! – warknęła Madzia. – To nasz ogród i nasz kot!

– Tak, my o tym wiemy, ale koty nie. Podaj mi ją, powinnaś włożyć ręce pod bieżącą wodę. Pewnie cię bolą, jesteś cała podrapana!

Madzia z ociąganiem oddała kicię matce.

– Bardzo się przestraszyła – stwierdziła drżącym głosem, myjąc ręce. – Tygrys jest od niej znacznie większy. Mógł jej zrobić krzywdę – a potem cicho się roześmiała. – Ale widziałam, że Łezka podrapała go po nosie, zanim uciekł.

– Przeszły pod ogrodzeniem? – spytała mama. – Jest tam dziura, którą będziemy mogli zatkać?

Madzia wytarła podrapane dłonie i ruszyła do drzwi.

– Pójdę sprawdzić.

Łezka wydała z siebie ciche, zaniepokojone miauknięcie, gdy zobaczyła, że dziewczynka otwiera drzwi, więc Madzia zatrzymała się, by ją pogłaskać.

– Nie martw się. Nie pozwolę tym rudym łobuzom do ciebie podejść.

Wybiegła do ogrodu i zaczęła sprawdzać płot. Na całej jego długości były dziury, niezbyt wielkie, lecz wystarczająco duże, by koty mogły się przecisnąć. Trudno będzie zatkać je wszystkie. Zresztą płot wcale nie był taki wysoki. Była przekonana, że Tygrys i Kitek potrafią się na niego wspiąć bez wielkiego wysiłku.

– Co robisz? – spytał ktoś, jakby z kpiną w głosie.

Madzia wyprostowała się nad kwietnikiem. Za płotem stał jej sąsiad Janek, właściciel Tygrysa i Kitka. Miał kilka lat więcej od Madzi i chodził do gimnazjum, więc zwykle była zbyt nieśmiała, żeby z nim rozmawiać. Ale dzisiaj nabrała odwagi.

– Sprawdzam płot! Twoje koty przed chwilą weszły do mojego ogrodu i pobiły mojego kota! – wypaliła.

Wzruszył ramionami.

– Przykro mi. Ale koty walczą. Taką mają naturę.

– Nic sobie z tego nie robisz?! A moja kicia jest przerażona!

– Nic nie mogę zrobić, koty ganiają się i biją. Tutaj jest mnóstwo kotów. Twoja kotka też będzie się wdawała w bójki, więc przestań się zachowywać jak mała dziewczynka.

– Ooo! – prychnęła, ze złością wmaszerowała z powrotem do domu i wykrzyknęła: – Łezka wcale nie będzie się bić, bo ja, Madzia, nie pozwolę, żeby inne koty zrobiły jej krzywdę! Choćbym miała chodzić cała podrapana!

Gdy jednak zamknęła kuchenne drzwi, trzaskając nimi tak mocno, że kocie drzwiczki aż się zakołysały, przyszła jej do głowy straszna myśl.

Madzia zdała sobie sprawę, że teraz mogła ochronić Łezkę, ale co będzie jutro, gdy pójdzie do szkoły?

– Może nie trzeba było montować kocich drzwiczek... – powiedziała Madzia z niepokojem.

Jej tata z namysłem podrapał się po głowie. Kiedy Łezka się biła, wyszedł akurat pobiegać i cała sytuacja go ominęła.

– Nie bardzo mogę teraz wymontować drzwiczki. Zresztą Łezka jest coraz większa. Niedługo tamtym dwóm nie pójdzie z nią tak łatwo.

– Myślę, że nigdy nie będzie aż taka duża jak one – stwierdziła dziewczynka. – Ale powinna wychodzić. Bardzo lubi przebywać w ogrodzie! W każdym razie lubiła – dodała ze smutkiem.

Łezka nie wyszła na dwór od czasu porannej walki. Wycofała się do jadalni. Na podłodze widniała plama światła słonecznego, wpadającego przez szklane drzwi z tyłu pomieszczenia. Łezka leżała na jej środku i czuła na swojej sierści łagodne ciepło. Miała się lepiej, nie była już przestraszona i uspokoiła się.

Leniwie wyciągnęła się na dywanie i półotwartymi oczami wyjrzała przez duże okno z nadzieją, że zauważy jakieś motyle.

Ale zdążyła tylko mrugnąć powiekami i zobaczyła Tygrysa oraz Kitka. Znowu były w jej ogrodzie, tuż za oknem, i na nią patrzyły.

Ogon Łezki zjeżył się i syknęła z przerażeniem. Na chwilę zapomniała, że oddziela je szyba i kocury nie mogą jej dosięgnąć. Kotka była pewna, że Tygrys znowu ją przewróci. Pobiegła do kuchni, do Madzi, miaucząc z przerażeniem.

– Och! Wróciły do ogrodu! – Madzia podniosła kotkę i mocno ją przytuliła.

Tata szybko nalał wody do szklanki, która stała przy zlewie, i wyszedł na zewnątrz. Po chwili jednak wrócił, kręcąc głową.

– Chciałem je oblać, bo koty nie lubią być mokre, ale już sobie poszły.

– Jeśli nadal będą tak robić, Łezka będzie się bała bez przerwy – powiedziała z niepokojem dziewczynka. – To nie w porządku!

Gdy Madzia wieczorem kładła się do łóżka, ciągle była bardzo przejęta. Zostawiła kotkę śpiącą w legowisku w kuchni, nasypawszy do miseczki jej ulubionych krokiecików o smaku kurczaka, na wypadek gdyby Łezka obudziła się w nocy i chciała coś zjeść.

Madzia długo nie mogła zasnąć. Wierciła się i przewracała z boku na bok, myśląc o Tygrysie i Kitku, a potem o jutrzejszym dniu w szkole i czekającej ją tam samotności. W jakiś sposób wszystkie te myśli wplotły się w jej sny. Gdy w końcu udało jej się zasnąć, śniło jej się, że rozwiązuje zadanie matematyczne, ubrana w szkolny mundurek, a Tygrys i Kitek siedzą obok niej. Tygrys mówił jej, że jest głupia, i pomyliła się przy mnożeniu, a Kitek zaczął miauczeć jej do ucha. Drgnęła, przekręciła się na bok i... obudziła. To nie był sen. Ten dźwięk dobiegał z dołu!

Wyskoczyła z łóżka i pobiegła po schodach na parter. Hałas był teraz głośniejszy i dochodził z kuchni. Madzia nic z tego nie rozumiała. Brzmiało to jak głosy więcej niż jednego kota, a przecież powinna być tam tylko Łezka. Dziewczynka otworzyła drzwi na oścież i zobaczyła Tygrysa oraz Kitka przy miseczce swojej

kotki. Kocury pochłaniały pozosta-
wione krokieciki.

– Wynoście się! – krzyknęła. – Sio!
Niedobre koty!

Tygrys i Kitek syknęły na nią, ale
uciekły przez kocie drzwiczki. Kocie
drzwiczki – no jasne! To tamtędy
weszły do kuchni!

– Co się tu dzieje? – w drzwiach
stanął tata, wyraźnie zaspany.

– Koty z domu obok! Weszły przez kocie drzwiczki, tato. Jadły karmę Łezki! – Madzia przykucnęła obok legowiska swojej kotki, która była przerażona, i gdy dziewczynka delikatnie ją podniosła, poczuła mocno naprężone mięśnie, jakby kicia była gotowa w każdej chwili wyskoczyć z jej rąk i uciec. Wąsiki Łezki drżały, a przestraszone, szeroko otwarte oczy zdawały się rozszerzać niemal na cały pyszczek.

Mama martwiła się, że Łezka może narobić bałaganu w pokoju Madzi, gdyby spała na górze, ale dziewczynka nie mogła teraz znieść myśli o pozostawieniu kotki samej.

– Tato, mogę zabrać Łezkę, żeby spała u mnie? Proszę! – powiedziała błagalnym tonem. – Wiem, mama powiedziała, że powinna zostać w kuchni, ale jest taka przerażona!

Tata westchnął.

– Myślę, że jest już nauczona czystości. I całkiem nieźle radzi sobie na schodach, prawda? Będzie mogła zejść, gdyby potrzebowała skorzystać z kuwety. Zastawię kocie drzwiczki krzesłem, na wypadek gdyby Tygrys i Kitek wróciły.

Madzia skinęła głową. Łezka trochę się odprężyła w jej ramionach, ale wciąż się nerwowo rozglądała. Dziewczynka weszła na górę i ułożyła z kołdry przytulne kocie posłanie na skraju łóżka. W ten sposób dla niej nie zostało zbyt wiele kołdry, ale wcale jej to nie przeszkadzało.

Kotka weszła ostrożnie do tego ciepłego gniazdka i zaczęła je ugniatać łapkami. Była tu Madzia, więc czuła się bezpieczna. Miała pewność, że Tygrys i Kitek nie wejdą na górę. A gdyby weszły, Madzia na pewno je przepędzi.

Dziewczynka położyła się i westchnęła. Chciała, żeby Łezka spała na jej łóżku, odkąd trafiła do jej domu, ale wolałaby, żeby odbyło się to w inny sposób.

Znowu zapadała w sen, gdy poczuła małe łapki na swoim brzuchu, a po chwili miękką sierść na policzku, gdy koteczka zwinęła się obok niej na poduszce. Dziewczynka zachichotała. Ogonek Łezki spoczywał na jej szyi i ją łaskotał.

– Poradzimy sobie z tymi okropny-
mi kocurami – powiedziała do zwierzątka zaspanym głosem. – Wszystko
będzie dobrze.

Rozdział piąty

– Pora wstawać! – mama rozsunęła zasłony w pokoju córki.

– Mmm. Ojej! – Madzia nagle przypomniała sobie, że Łezka jest z nią na górze, choć kotka nie spała już na poduszce.

– Tata powiedział mi, że pozwolił ci wnieść Łezkę tutaj. Myślę, że to nic złego, tylko pamiętaj, żeby nie zamykać jej w pokoju. Nie chcemy, żeby nasiusiała ci na dywan! – rozejrzała się dookoła. – Gdzie ona jest? Zeszła już na dół?

Madzia usiadła na łóżku.

– Spała obok mnie.

– O, jest tutaj! – mama ukucnęła i zajrzała pod łóżko. – Wszystko w porządku, Łezko, nie musisz się mnie bać. Masz ci los, wydaje się bardzo zdenerwowana.

– Pewnie usłyszała, jak wchodzisz, i pomyślała, że to znowu Tygrys i Kitek – Madzia wyskoczyła z łóżka, by pod nie zajrzeć.

Łezka cofnęła się najgłębiej, jak tylko mogła, i przytuliła się do ściany. Madzia widziała, że wąsiki trzęsą się jej ze strachu.

– Łezko! Wyjdź, wszystko jest dobrze.

Kotka bardzo powoli wypełzła spod łóżka i pozwoliła, by dziewczynka ją podniosła. Wzdrygnęła się jednak, gdy mama próbowała ją pogłaskać.

– Zazwyczaj jest towarzyska – powiedziała ze smutkiem mama. – Może poczuje się lepiej, jeśli coś zje?

– Mam nadzieję – Madzia zabrała Łezkę na dół, gdy tylko się ubrała. Czuła, że kotka nieruchomieje, kiedy niosła ją korytarzem do kuchni. Łezka wczepiła się w jej sweter i nie wydawała się zbytnio zainteresowana jedzeniem, gdy dziewczynka napełniła jej miseczkę.

– Nie martw się, będę ją miała na oku, kiedy pójdziesz do szkoły – zapewniła mama. – A jak ci w ogóle idzie w szkole?

Madzia wzruszyła ramionami.

– Wiem, że tęsknisz za Kasią, ale w twojej klasie na pewno są jakieś osoby, z którymi możesz porozmawiać – powiedziała mama z dużą dozą pewności w głosie.

„Ale żadna z tych osób nie jest taka miła jak Kasia – pomyślała Madzia. – I żadna nie chce ze mną gadać. To nie takie proste...".

– Do obchodów dnia sportu został jeszcze miesiąc – powiedziała pani Miller, nauczycielka Madzi, wyprowadzając wszystkich na boisko. – Dlatego zajmiemy się lekkoatletyką. Będziemy ćwiczyć biegi, biegi przez płotki, sztafety i tego rodzaju ćwiczenia.

Kilkoro uczniów jęknęło z niezadowoleniem, ale Madzia się uśmiechnęła. Uwielbiała biegać i była w tym całkiem niezła. Słońce świeciło i czuła je we włosach i na rękach. Cały ranek martwiła się o Łezkę, mimo że tata zablokował kocie drzwiczki, na wypadek gdyby dwa rude kocury znowu próbowały dostać się do środka. Madzia wiedziała, że kotce nic nie powinno się stać, ale nie mogła przestać o niej myśleć i przypominać sobie, jak bardzo się bała. Madzia miała nadzieję, że biegając, pozbędzie się stresu i narastającego w niej smutku.

Na szkolnym boisku była duża trawiasta bieżnia z białymi liniami i po rozgrzewce pani Miller podzieliła klasę na grupy.

Madzia bez trudu wygrała swój pierwszy bieg – pozostali wcale się nie starali

– ale zdziwiła się, gdy w następnym pokonała kilku chłopaków. Pod koniec biegu niektóre dziewczynki zaczęły ją nawet głośno dopingować.

– Brawo! Ale jesteś szybka! – Beata podeszła bliżej i poklepała ją po plecach.

Madzia roześmiała się, choć trochę nerwowo. Zawsze lubiła Beatę, ale ją akurat wszyscy lubili, więc miała wiele przyjaciółek. Była dla Madzi miła, lecz nigdy nie spędzały razem zbyt wiele czasu.

– Pokonaj Julka w tym ostatnim wyścigu, proszę! – powiedziała błagalnym tonem Beata. – Jest taki pewny siebie, tylko spójrz na niego!

Julek rozmawiał z kilkoma kolegami, popisowo się przy tym rozciągając. Wyraźnie był pewien, że wygra.

– Dobra – Madzia uśmiechnęła się szeroko. Wcale nie była zmęczona. Kiedy ustawili się do ostatniego wyścigu, podskoczyła na palcach, patrząc na linię mety. Gdy tylko pani Miller dmuchnęła w gwizdek, Madzia ruszyła naprzód i pobiegła najszybciej, jak potrafiła, by na koniec minąć linię mety o włos przed Julkiem.

– Hurrra! Madzia wygrała! – nad wszystkie inne głosy wybijało się wołanie Beaty.

Beata i pozostałe koleżanki wyściskały ją, mówiąc, że biega jak prawdziwa sprinterka. Mogły teraz wyśmiać Julka, który jęczał, że dziewczyny zawsze oszukują. Beata siedziała w klasie w ławce za nią i Madzia widziała, że się do niej uśmiecha na

lekcji po wuefie. Był to dla niej naj-
lepszy dzień w szkole w całym seme-
strze. Nie mogła się doczekać, żeby
powiedzieć o tym rodzicom, którzy
ciągle pytali, jak tam w szkole. Miło
będzie im odpowiedzieć, że w końcu
miała fajny dzień.

– Co u Łezki? – spytała z nadzieją,
podbiegając do mamy po lekcjach.

Kobieta skrzywiła się.

– Drapała kanapę! Musiałam zam-
knąć przed nią drzwi do salonu.

– Oj... – Madzia zmarszczyła brwi.
Łezka nigdy wcześniej tego nie robiła. Dziewczynka miała nadzieję, że
mama nie jest na kotkę bardzo
zagniewana.

Gdy dotarły do domu, Madzia
odłożyła tornister, spodziewając się,

że kicia do niej przybiegnie i będzie chciała się bawić, tak jak zwykle. Łezka jednak się nie pojawiła.

– Łezko! – dziewczynka rozejrzała się z niepokojem.

– Sprawdź na górze – podsunęła mama. – Najwyraźniej jej się tam spodobało.

Madzia wbiegła po schodach i wpadła do swojego pokoju. Nie widziała koteczki, ale miała okropne przeczucie, że wie, gdzie jej szukać. Uklękła i zajrzała pod łóżko, po czym westchnęła. Miała rację. Łezka znowu leżała skulona i wciśnięta w kąt, patrząc na nią niepewnie swoimi dużymi oczami.

– Oj, Łezko... – szepnęła dziewczynka. – Wszystko w porządku, skarbie, możesz wyjść...

– Nie możemy ciągle trzymać kocich drzwiczek tak zablokowanych – powiedział tata, spoglądając na swój deser. – Łezka musi mieć możliwość wychodzenia na dwór.

– Ale ona nie chce – odparła Madzia. – Boi się.

– Niedobrze, że trzymamy ją cały czas w domu. Powinna ostrzyć sobie pazurki o drzewa, a nie o kanapę – westchnęła mama. – I miło by było, gdybyśmy nie musieli ciągle sprzątać kuwety!

– Ja posprzątam – powiedziała szybko Madzia. – Nie mam nic przeciwko temu. Łezka za bardzo się boi, żeby wychodzić do ogrodu.

Oblizała łyżeczkę z lodów, ale właściwie nie była już głodna. Czuła, że zarówno mama, jak i tata na nią patrzą. Zapewne myśleli, że za bardzo rozczula się nad kotką.

– Myślę, że Łezka musi po prostu nabrać siły – powiedział łagodnie tata.

– Szybko rośnie – zauważyła mama. – Niedługo będzie równie duża jak Tygrys i Kitek.

– Na pewno nie – odrzekła Madzia. – A poza tym, choćby nie wiadomo, jak urosła, ciągle jest sama. Tygrys i Kitek działają razem, mamo! Jak drużyna!

Kobieta zmarszczyła brwi i zerknęła znacząco na tatę. Madzia wiedziała, co oznacza to spojrzenie. Sądzili, że Madzia rozczula się nad Łezką z powodu problemów w szkole, bo jest zdenerwowana i przejęta. Rodzice uważali, że powinna nabrać trochę pewności siebie i zawrzeć nowe przyjaźnie.

– Pójdę poszukać w Internecie jakichś pomysłów, jak temu zaradzić – rzuciła szybko, chcąc się oddalić, zanim znowu zaczną pytać ją o szkołę i o to, czy nie chciałaby kogoś zaprosić na podwieczorek. „A może zaprosiłabym Beatę?" – pomyślała, lecz za chwilę porzuciła ten pomysł. Beata była bardzo lubiana i z pewnością miała zbyt wiele koleżanek, żeby chciała się spotykać z Madzią.

Włączyła komputer, aby przejrzeć swoje ulubione strony o zwierzętach, i zobaczyła e-mail od Kasi. Madzia wysłała jej kilka dni temu wiadomość z pytaniem, czy ma dla niej jakieś rady. Kasia podsunęła jej pomysł z podziałem czasu, który zaczerpnęła z przeczytanej kiedyś książki. W tej sytuacji to rozwiązanie wydawało się znakomite!

– Co chcesz zrobić? – prychnął Janek.

– Proponuję podział czasu... – powtórzyła Madzia, wiercąc się, by utrzymać łokcie na krawędzi płotu. Stała na odwróconym wiadrze, żeby mieć głowę nad ogrodzeniem, i nieco się chwiała. – Ty będziesz przez jakiś czas trzymał Tygrysa i Kitka w domu, żeby Łezka mogła bez strachu wyjść.

Wzięła głęboki wdech. Nie lubiła rozmawiać z Jankiem. Zawsze czuła się przy nim niezręcznie. Musiała z nim jednak porozmawiać.

– Proszę, przemyśl to! Łezka jest przerażona. To nie musi długo trwać. Może chociaż godzinę dziennie? Tylko do czasu, aż urośnie i będzie mogła się sama bronić.

Chłopak wzruszył ramionami.

– Jak mam je zatrzymać w domu? Mają kocie drzwiczki. Wchodzą i wychodzą, kiedy im się podoba.

– Ale nie mógłbyś...? – zaczęła.

– Gram dziś w piłkę, muszę iść – przerwał jej. A potem zniknął w tylnych drzwiach swojego domu, pozostawiając Madzię patrzącą za nim ponad płotem.

Dziewczynka westchnęła. Pomysł z podziałem czasu wydawał się dobry. Tylko że Janka wcale to nie obchodziło!

Wróciła do kuchni i zobaczyła Łezkę siedzącą na jednym z krzeseł i wpatrzoną z niepokojem w kocie drzwiczki – Madzia odsunęła krzesło, które je zastawiało, żeby kotka mogła wyjść.

– Musimy wymyślić coś innego – zwróciła się do kotki, drapiąc ją pod brodą.

Kicia potarła łebkiem o jej dłoń i zamruczała.

„Naprawdę mi ufa – pomyślała dziewczynka. – Muszę znaleźć jakieś rozwiązanie...".

Rozdział szósty

Łezka do końca tygodnia nie wyszła już sama z domu. Madzia kilka razy zabierała ją do ogrodu, bo była niemal pewna, że Tygrys i Kitek nie odważą się tu pojawić w jej obecności. Gdy tylko jednak stawiała Łezkę na ziemi, mała tricolorka pędziła z powrotem do swoich kocich drzwiczek. I nawet kiedy była już w środku, przez większość czasu chowała się pod łóżkiem Madzi. Kilka razy nawet załatwiła się na podłogę, co bardzo rozzłościło mamę.

– Wiem, że to nie jej wina, Madziu – powiedziała mama w piątek rano, szorując dywan w przedpokoju. – Ale pachnie okropnie!

– Nie chcesz, żebyśmy oddali ją pani Danusi, prawda? – spytała dziewczynka z przestrachem.

Kobieta pokręciła głową.

– Nie... ale musimy to rozwiązać. Tak czy owak, lepiej już chodźmy do szkoły.

Łezka patrzyła na nie spod wieszaka na ręczniki w łazience. Lubiła to miejsce. Było ciepłe i ciemne, a łazienka nie miała żadnego okna, przez które mogłaby zobaczyć inne koty. Kotka nawet nie zeszła jeszcze na dół, żeby coś zjeść, bo nie miała pewności, czy starczy jej na to odwagi. Bo co Łezka zrobi, jeśli Tygrys i Kitek znowu przyjdą do kuchni?

Gdy drzwi wejściowe zatrzasnęły się za Madzią, Łezka wdrapała się na schody. Była jednak tak głodna, że postanowiła zaryzykować i zejść do kuchni. Zbiegła po schodach i wyjrzała za drzwi. Nie było śladu obcych kotów. Z radością wbiegła do pomieszczenia i zaczęła pochłaniać karmę, co jakiś czas przerywając i z niepokojem rozglądając się wokół.

Mniej więcej w połowie posiłku zaczęła się nieco odprężać i zwolniła, by się nim delektować.

Potem rozległ się trzask drzwi wejściowych i kotka z przerażeniem odskoczyła od miseczki. Bała się, że to znowu przyszły te rude kocury. Spanikowana, pomknęła w kąt kuchni i próbowała się schować. Była tak przerażona, że zasikała całą podłogę.

– O nie! Łezko! – wykrzyknęła ze złością mama, gdy weszła i zobaczyła, co się stało. – Dlaczego to zrobiłaś? To tylko ja – podeszła do szafki pod zlewem po sprej do czyszczenia i ścierkę. – Idź sobie, sio! Muszę to teraz wytrzeć – mama gniewnie machnęła ścierką na kotkę.

Łezka była tak roztrzęsiona, że błysk białej tkaniny ją przeraził i wymknęła się przez kocie drzwiczki, by przed nim uciec. Mama poszła

po mop i nie zauważyła, że zwierzątko wybiegło.

Łezka siedziała na progu i patrzyła
na ogród. Od tygodnia nie wychodziła na dwór i czuła teraz wiele kuszą-
cych zapachów. Były też pszczoły,
brzęczące nad krzaczkami lawendy,
no i motyle... Kotka ostrożnie
wyszła na trawnik, drżąc z zadowo-
lenia, gdy promienie słońca padły na
jej sierść.

Nawet nie zauważyła Tygrysa, który
wyskoczył na nią spod płotu i prychnął. Kotka odwróciła się, by pognać
do kocich drzwiczek, ale kocur rzucił
się w pogoń, przewracając ją na bok
i drapiąc po uchu. Rozejrzała się, szukając wzrokiem Kitka i zastanawiając
się, czy także on zaraz się na nią

rzuci, ale wyglądało na to, że tym razem Tygrys jest sam. Jednak i tak nie miało to większego znaczenia – Tygrysek był od niej dwa razy większy i bardzo nieustępliwy. Kotka miauknęła z przerażeniem, gdy znowu na nią skoczył. Nigdy nie zdoła przed nim uciec. Chyba że... Łezka próbowała go podrapać, zamachując się uzbrojoną w ostre pazurki łapką, i kocur cofnął się trochę z donośnym sykiem. Dzięki temu zyskała na czasie.

Skoro Łezka nie mogła pokonać Tygryska w biegu, może powinna wspiąć się na ogrodzenie? Na pewno warto spróbować każdego sposobu. Niespodziewanie skoczyła na Tygrysa, znowu go drapiąc, a potem przebiegła obok niego, kierując się w stronę płotu. Wdrapała się na ogrodzenie, szorując deski pazurkami i z wysiłkiem dostając się na górę. Przycupnęła tam, trzęsąc się na całym ciele, i popatrzyła w dół na Tygrysa, który podniósł na nią wzrok.

Wydała z siebie cichy, przerażony pisk, po czym zeskoczyła z drugiej strony płotu...

– Mamo, gdzie podziała się Łezka? Myślałam, że jest pod moim łóżkiem, ale nigdzie nie mogę jej znaleźć. Szukałam we wszystkich miejscach, w które zwykle chodzi.

Mama zmarszczyła brwi.

– Właściwie prawie jej dziś nie widziałam. Rano nasiusiała na podłogę w kuchni... ale nie jestem pewna, czy później jeszcze się na nią natknęłam. Musiałam wyjść po zakupy, a potem pojechałam prosto po ciebie do szkoły.

Madzia popatrzyła na legowisko Łezki, jakby kotka mogła się nagle spod niego wyłonić. I wtedy zauważyła kocie drzwiczki.

– O! Zabrałaś krzesło!

– Musiałam – odparła posępnie mama.

– Wycierałam kocie siki wokół niego. Rozumiem, o co ci chodzi – mogła wyjść na dwór. Ale to przecież dobrze! Chcemy, żeby znowu zaczęła wychodzić.

– Nie, jeśli kręcą się tam te dwa łobuzy z domu obok – mruknęła dziewczynka. – Pójdę jej poszukać.

Ale w ogrodzie Madzia też nie znalazła Łezki, mimo że wołała i wołała.

– Nie ma jej? – spytała mama, wyjrzawszy przez kuchenne drzwi. Teraz i ona wydawała się nieco zaniepokojona.

– Nie, a zwykle mniej więcej o tej porze ją karmimy.

– Jeszcze raz sprawdzę na górze, może jest gdzieś zamknięta – powiedziała mama.

Madzia wiedziała, że sprawdzała już wszędzie, lecz i tak skinęła głową.

– Łezko! Łezko! – zawołała znowu.

– Zgubiłaś swoją kotkę?

Dziewczynka podskoczyła. Nie wiedziała, że Janek jest w swoim ogrodzie.

– Tak. Nie widziałeś jej?

– Nie.

Westchnęła.

– A możesz pomóc mi jej poszukać? Proszę.

– No dobra – nie wydawał się jednak szczególnie przejęty.

Madzia wbiegła z powrotem do domu.

– Mamo, myślisz, że powinniśmy wyjść i jej poszukać? Ojej, przecież nie możemy!

– Dlaczego? – zdziwiła się mama.

– Jeśli zaginie ci kot, najlepiej zostawić w domu kogoś, kogo zna. Inaczej może pomyśleć, że to nie jego dom, jak już wróci. Tak było napisane w książce.

– Naprawdę? No dobrze, jeśli nie przyjdzie, zanim wróci tata, wtedy ty i ja możemy iść jej poszukać.

Godzina do powrotu taty upływała bardzo powoli. Madzia ciągle przeszukiwała te same miejsca, na wypadek gdyby przy piątym czy szóstym razie jakimś cudem przegapiła Łezkę.

Gdy tylko zobaczyła tatę przy furtce, wybiegła przez drzwi i pobiegła ścieżką.

– Łezka zaginęła! Idziemy jej poszukać, a ty musisz zostać tutaj! – wysapała.

Tata popatrzył na nią, a potem na mamę, która wybiegła za córką z domu.

Kobieta posłała mu zatroskane spojrzenie.

– Obiecałam Madzi, że pójdziemy i poszukamy jej w okolicy. Nie sądzę, żeby odeszła daleko.

Madzia już pędziła chodnikiem i zaglądała pod zaparkowane samochody.

– Chodź, mamo! – zawołała.

Łezka popatrzyła żałośnie na nieznany ogród. Gdy zeskakiwała z płotu, próbowała się jednocześnie obejrzeć za siebie, przez co źle wylądowała i teraz bolała ją łapka. Kotkę piekły też zadrapania. Ruszyła jednak przed sie-

bie, rozpaczliwie pragnąc jak najbardziej oddalić się od Tygrysa. Przeczołgiwała się pod kolejnymi płotami i szła naprzód, aż wreszcie uznała, że jest już bezpieczna. Czuła zapach innych kotów, kilka nawet widziała, ale żaden nie próbował jej gonić.

W końcu kotka zatrzymała się, by odpocząć za ogrodową komórką. Czuła, że już dalej nie może iść, łapka za bardzo ją bolała. Kuliła się za komórką przez resztę dnia, nie wiedząc, co robić. Kotka nie mogła wrócić do domu. Tygrys znowu by ją pogonił. Łezka musiała zaczekać, aż wróci Madzia. Wtedy już nic nie będzie jej grozić.

Madzia i jej mama szukały bardzo długo. Dziewczynka ciągle patrzyła na drogę i w duchu liczyła, że Łezka nie przestraszyła się aż tak, by wbiec pod samochód. „Powinnam bardziej się o nią troszczyć. Zmusić Janka, żeby coś zrobił z Tygrysem i Kitkiem – myślała. – Kiedy znajdę Łezkę, powiem mu, co o tym myślę!".

Były w połowie następnej ulicy i Madzia przewiesiła się przez murek okalający czyjś ogród, by uważnie przyjrzeć się wysokim kwiatom, gdy rozległ się zaskoczony głos.

– Co robisz?

Podskoczyła. Nawet nie zauważyła, że ktoś się zbliża. Beata – koleżanka ze szkoły – stała za nią, podczas gdy jej mama zamykała drzwi samochodu. Beata miała na sobie sweter narzucony na strój baletowy i spoglądała ponad murem, ciekawa, na co też patrzy Madzia.

– O! Cześć, Beata. Szukam mojej kotki – Madzia przełknęła ślinę. – Zgubiła się... – Strasznie było wypowiadać te słowa.

– O nie! Ta mała śliczna tricolorka? Masz jej zdjęcie w swojej szafce, prawda?

Skinęła głową. Była zaskoczona, że Beata je zauważyła.

– Chcesz, żebym pomogła ci szukać? Mogę, mamo? Właśnie wracamy z lekcji baletu – wyjaśniła Beata. – To jest nasz dom. Nie wiedziałam, że mieszkasz tak blisko.

Madzia zaczerwieniła się.

– Przepraszam, że zaglądałam do pani ogrodu – zwróciła się do mamy Beaty.

– Nie szkodzi – odparła kobieta z uśmiechem. – Możesz pomóc Madzi szukać przy naszej ulicy, Beatko. Ale tylko do czasu, zanim zapadnie zmrok. Macie jakieś pół godziny, nie więcej.

Madzia rozejrzała się z niepokojem. Łezka jeszcze nigdy nie była na dworze nocą! Nie mogła znieść myśli o biednej kici, samotnej i przerażonej w ciemnościach.

Obie dziewczynki ruszyły ulicą, nawołując kotkę. Dołączyła do nich także mama Beaty, która pytała sąsiadów, czy nie widzieli małego kotka. Nikt jednak nie widział.

– Musimy zakończyć poszukiwania, jest za ciemno – powiedziała w końcu mama.

– Nie możemy! – odparła błagalnym tonem Madzia.

– Jutro rano przyjdę i pomogę ci
szukać – obiecała Beata i ją uściskała.
– Nie martw się. Znajdziemy ją.

W końcu, gdy zaczęło się ściem-
niać, Łezka doszła do wniosku, że
może wyjść ze swojej kryjówki.
Madzia na pewno wróciła już do
domu. Jeśli kotka zdoła dobiec do
kocich drzwiczek, zanim Tygrys ją
zauważy, będzie bezpieczna.

Kotka wypełzła z ciemnego miejsca za komórką, z trudem podpiera-
jąc się obolałą łapką, a ból nasilał się
z każdą chwilą. Pokuśtykała przez

ogród i przecisnę-
ła się pod płotem,
by zaraz ujrzeć parę
błyszczących burszty-
nowych oczu, wpatru-
jących się w nią spod krzaka.
Cofnęła się nerwowo. W pierwszym
odruchu pomyślała, że to Tygrys, ale nie
czuła jego zapachu. Był to inny zapach,
dziwny, silny i niepokojący. A zwierzę,
które tak pachniało, było duże...

Wtem lis skoczył naprzód i kłapnął
długimi żółtymi zębami.

Łezka biegła na oślep. Nie wiedziała, dokąd ucieka – byle tylko jak naj-
dalej. Pobiegła bocznym przejściem,
przemknęła pod furtką i wypadła na
chodnik, gdzie przystanęła i szybko
się obejrzała. Lis już jej nie gonił.

Teraz jednak Łezka nie wiedziała, gdzie jest, a jej łapka pulsowała z bólu po szybkiej ucieczce. Utykając, ruszyła dalej wzdłuż krawężnika. Musiała odpocząć, a po drugiej stronie ulicy dostrzegła ogród, który wyglądał na dobrą kryjówkę – był zarośnięty krzewami wystającymi ponad niski płot. Przeszła przez jezdnię, nie zwracając uwagi na warkot samochodu, który wyjeżdżał zza zakrętu.

Była już w połowie ulicy, gdy zauważyła ten przedmiot – wielką maszynę, która nad nią górowała i oślepiała ją swoimi światłami. Samochód ostro zahamował, a jego opony zapiszczały na asfalcie. Łezka pisnęła, czmychając z drogi. Obolała łapka uginała się pod nią, więc kotka na wpół ciągnęła ją przez jezdnię. Przedostała się przez furtkę do zarośniętego ogrodu i rzuciła się pod ciemne krzewy. Oddech miała przerażony i szybki. Była bardzo zmęczona i miała wrażenie, że wszystko ją boli.

Kotka położyła się i wpatrywała w ciemności nocy. Nie miała pojęcia, gdzie właściwie jest ani którędy powinna wracać do Madzi. Nie wiedziała, co ma zrobić.

Rozdział siódmy

Mama przywiozła Beatę w sobotę z samego rana.

– Nie przyszłam za wcześnie? – spytała dziewczynka. – Mama stwierdziła, że może być za wcześnie, ale powiedziałam jej, że chcesz jak najszybciej zacząć poszukiwania.

Madzia posłała jej słaby półuśmiech.

– Już bardzo długo nie śpię. Czekam na tatę. Miło z twojej strony, że przyszłaś.

Beata pokręciła głową.

– Mówiłam, że przyjdę! Chcę ci pomóc ją znaleźć.

Za Madzią pojawił się jej tata.

– Jesteście gotowe, dziewczynki?

Gdy wyszli przez furtkę, Tygrys i Kitek przemierzyły ścieżkę przed domem Janka i wskoczyły na murek, obserwując ich okrągłymi zielonymi oczami.

Madzia zacisnęła pięści.

– Popatrz na nie! Są takie wredne!

– To koty, które przestraszyły Łezkę? – spytała Beata. Madzia zaczęła opowiadać jej, jak przerażona była kotka, kiedy je widziała.

Teraz skinęła głową.

– Są okropne.

Beata otworzyła furtkę, gromiąc wzrokiem rude kocury.

– Chodź! Chyba możemy poprosić Janka, żeby pomógł nam szukać?

– Myślę, że tak – Madzia zawahała się. Po chwili się otrząsnęła. – Tak, powinien to zrobić.

– No to chodźcie – powiedział tata Madzi.

Madzia ruszyła ścieżką i mocno przycisnęła guzik dzwonka. Była nieco zaskoczona, gdy drzwi otworzył ojciec Janka. Spodziewała się, że zobaczy chłopaka.

– Hmm... Myśleliśmy... – wykrztusiła z siebie Madzia.

– Wasze koty przegoniły jej kotkę – wtrąciła Beata nad ramieniem koleżanki.

Tata Madzi pokiwał głową.

– Niestety, zaginęła. Nie widzieliśmy jej od wczorajszego ranka.

Tata Janka wydawał się przejęty.

– Janek mówił, że Tygrys i Kitek biją się z jakimś nowym kotem...

Madzia przytaknęła.

– Przypuszczamy, że znowu się pobiły i ona uciekła.

– Masz ci los. Słuchajcie, Janek musi iść na mecz, ale może później przyjdziemy i wam pomożemy?

– Dziękujemy – powiedziała Madzia i dziewczynki znowu rozpoczęły poszukiwania.

Łezka wierciła się i rzucała przez sen, a potem przebudziła się gwałtownie ze zjeżoną sierścią. Zaczęła okrążać gęste krzewy, szukając dziwnego stworzenia, które ją wcześniej goniło. Było jeszcze większe niż Tygrys i Kitek. Ale ciemne miejsce pod gałęziami było puste, znajdowała się w niej tylko ona oraz kilka chrząszczy. Coś się chyba Łezce przywidziało.

Wyjrzała spod krzaków na zarośnięty ogród, a wąsiki jej drżały.

Dom był opuszczony, ogród porastały jeżyny i chwasty. Łezka zadrżała od porannego chłodu. Była cała zdrętwiała. Nie nawykła do spania na

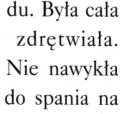

zewnątrz. Zresztą
wcale nie chciała
spać, pragnęła
wrócić do domu,
do Madzi. A samochód tak ją przestraszył, że wpełzła w tę bezpieczną
dziurę i wyczerpana zapadła w sen.

Teraz Łezka musiała dostać się
do domu i do Madzi. Wiedziała, że
Madzia ją nakarmi, bo była bardzo
głodna i miała wrażenie, że minęły
wieki, odkąd cokolwiek jadła.

Wstała, gotowa wypełznąć ze swojej
kryjówki, ale zaraz się przewróciła,
miaucząc z bólu, gdy łapka się pod nią
ugięła. Kotka zapomniała o zranionej
łapie. Spróbowała jeszcze raz, opiera-
jąc ciężar ciała na drugiej przedniej
łapce, ale ledwie mogła się ruszyć.

Była odrętwiała, a obolała łapka ciągnęła się za nią boleśnie, gdy kuśtykała przez wilgotną trawę. Co kilka kroków musiała przystawać i odpoczywać, a łapka bolała ją coraz bardziej. W końcu Łezka opadła na skraj zarośniętej chwastami żwirowej ścieżki. Nie mogła iść dalej. Była przemarznięta, sierść miała przemoczoną od rosy, wszystko ją bolało i doskwierało jej zmęczenie.

Nie wiedziała, jak dotrzeć do domu.

– Jeśli jej wkrótce nie znajdziemy, może powinniśmy zrobić plakat? – odezwała się Beata. Jeszcze raz prze-

szukali całą ulicę, przy której miesz-
kała Madzia, okrążyli park i przemie-
rzyli labirynt wąskich uliczek między
parkiem a szkołą. Teraz wracali ulicą,
przy której stał dom Beaty.

Madzia przełknęła ślinę.

– Tak – szepnęła. To miało sens. Szukali cały ranek. Ale plakat oznaczałby, że Łezka zgubiła się na dobre. Ogłoszenia o zaginionych kotach zawsze ją smuciły. Nie umiała sobie wyobrazić zdjęcia Łezki przyklejonego do latarni.

– Poszukajmy jej jeszcze chwilę – wyszeptała. Potarła oczy, by powstrzymać łzy, a potem zaczęła krzyczeć: – Łezko! Łezko!

Skulona przy ogrodowej ścieżce kotka została wyrwana ze swojego zimnego półsnu. Usłyszała Madzię, bez wątpienia! Łezka usiłowała się podnieść, ale w ogóle nie mogła już stanąć na kontuzjowanej łapce. A co będzie, jeśli Madzia nie zobaczy Łezki? Ogród był tak zarośnięty, że dziewczynka mogła po prostu kotki nie zauważyć. Koteczka zawyła rozpaczliwie i wokół rozniosło się przeciągłe, żałosne miauczenie.

Po drugiej stronie ulicy Madzia zatrzymała się gwałtownie, niemal wpadając na koleżankę.

– Słyszałaś to?

– Tak! Myślisz, że to Łezka?

Tata dołączył do nich biegiem.

– Madziu, zdaje się, że słyszałem...

– Wiem! My też słyszałyśmy! Chodźmy! – Madzia złapała Beatę za rękę i obie pobiegły przez ulicę. – Wydaje się, że Łezka może być w tym zapuszczonym starym ogrodzie!

Beata skinęła głową.

– Chyba masz rację. W tym domu nikt już nie mieszka, jest tam bardzo

cicho. I strasznie. Nie lubię przecho-
dzić obok. Ale to byłoby dobre miejsce, żeby się ukryć, gdyby się bała.

Łezka usłyszała, że Madzia się
zbliża. Znowu ją zawołała, miaucząc
z desperacją, i zaczęła gramolić się
ścieżką, ciągnąc za sobą chorą łapkę.

– Jest tutaj! – Madzia otworzyła
furtkę na oścież. – Oj, Łezko, jesteś
ranna! Tato, ona nie może chodzić!

– Potrącił ją samochód? – spytała
z niepokojem koleżanka.

Madzia podniosła kotkę najdeli-
katniej jak umiała.

– Nie jestem pewna. Ta łapka trochę dziwnie wisi, ale nie leci z niej
krew. Łezka jest również cała podrapana przy uszkach i nosku. Tygrys i Kitek
na pewno znowu się na nią rzuciły!

– Lepiej, żeby zbadał ją weterynarz
– stwierdził tata i wyciągnął telefon.

Łezka leżała w ramionach Madzi
i cicho mruczała. Madzia ją znalazła.
Kotka była pewna, że tak się stanie.
Czule potarła bródką sweter dziewczynki, jakby chciała zapewnić, że
już nigdy jej nie opuści.

Rozdział ósmy

– Nic jej nie będzie? – spytała Madzia, wymieniając zaniepokojone spojrzenia z Beatą. Beata prosiła, żeby również mogła iść z Madzią do weterynarza. Bardzo chciała wiedzieć, czy kotka wyzdrowieje.

Weterynarz powoli pokiwał głową.

– Zdaje się, że tylko naderwała mięsień w łapce. Pewnie skoczyła i źle wylądowała. Musi po prostu odpocząć. Oczyszczę te zadrapania i dam jej zastrzyk z antybiotykiem, tak na wszelki wypadek. Mówisz, że miała zatarg z kotami sąsiadów? Wygląda na to, że mocno oberwała.

Madzia pokiwała głową.

– Nie chce wychodzić na dwór, za bardzo się boi. A te obce koty przyszły nawet do naszego domu przez jej kocie drzwiczki. To chyba było najgorsze. Nie wiem, czy teraz nawet w domu czuje się bezpieczna.

Mężczyzna zerknął na ekran swojego komputera.

– Ma czip, prawda?

– Tak, załatwiliśmy to przy okazji szczepień – odparł tata. – Dlaczego pan pyta?

– Ostatnio pojawił się nowy typ kocich drzwiczek. Sporo kosztują, ale działają w połączeniu z czipem. Więc tylko wasza kotka będzie mogła ich używać.

Madzia podniosła na tatę pełen nadziei wzrok.

– Mogę dostać taki prezent na urodziny, ale trochę wcześniej? Proszę.

Tata się uśmiechał.

– O dwa miesiące wcześniej? No, może jakoś się z tym pogodzimy.

– Można też drzwiczki zaprogramować, na przykład żeby Łezka nie mogła wychodzić w nocy – dodał weterynarz.

Madzia pokiwała głową.

– Gdyby Janek i jego tata zgodzili się przez jakiś czas trzymać Tygrysa i Kitka w domu, moglibyśmy zaprogramować drzwiczki, żeby otwierały się tylko wtedy, kiedy te kocury będą u siebie!

– Czyli atakowały ją dwa kocury? – spytał weterynarz. – Są wysterylizowane? W przeciwnym razie kocury bywają bardzo agresywne. Może warto zasugerować sterylizację ich właścicielowi? Dam wam ulotkę.

– Porozmawiam z tatą Janka, Madziu – obiecał tata.

Gdy jechali z powrotem do domu, Madzia trzymała Łezkę na kolanach. Wyjechali do weterynarza w takim pośpiechu, że nie zdążyli nawet włożyć kotki do transporterka.

– Wysadzę was, a potem pojadę sprawdzić, czy w dużym sklepie przy supermarkecie mają te specjalne kocie drzwiczki – powiedział tata, parkując koło domu.

– Zobacz, przyszedł Janek ze swoim tatą! – zawołała Madzia.

– Znaleźliście ją! – tata Janka podszedł bliżej. – Nic jej się nie stało?

– Uszkodziła sobie łapkę i musieliśmy zabrać ją do weterynarza – wyjaśniła Madzia.

– Jest też mocno podrapana... – mężczyzna popatrzył na nos kotki.

– To sprawka naszych kotów?

Madzia pokiwała głową.

– Tak mi się wydaje. Eee, czy Tygrys i Kitek są wysterylizowane? Weterynarz mówił, że to mogłoby pomóc. Dał nam ulotkę.

Beata wsunęła ulotkę w dłoń taty Janka.

– No raczej nie – przyznał. – Nie zrobiliśmy tego... Widzicie, to przybłędy. Pojawiły się w mojej pracy mniej więcej trzy lata temu i zabrałem je do domu. Były maleńkie, mniej więcej wielkości waszej kotki.

– Och... – z jakiegoś powodu Madzia nie była już tak zła na Tygrysa i Kitka, wiedząc, że wcześniej były bezdomne. Ani na Janka, ani na jego tatę. To nie oni postanowili, że zostaną właścicielami kotów, i nie wiedzieli, jak ważna jest sterylizacja kocurów.

– Możemy też spróbować trzymać je czasami w domu, tak jak mówiłaś – wtrącił nagle Janek.

– Byłoby świetnie – odparła Madzia z wdzięcznością w głosie. Lekko potarła policzkiem miękką sierść na łebku Łezki, obiecując, że wszystko będzie dobrze... Nagle pomyślała z uśmiechem, że powinna zadzwonić do Kasi i wszystko jej opowiedzieć. Była to przyjemna myśl. Wcale nie chciało jej się płakać, a tak pewnie zareagowałaby jeszcze kilka dni temu. Mimo wszystko bardzo tęskniła za Kasią. Nie było jej jednak już aż tak ciężko...

– Chyba lepiej wrócę do domu – powiedziała Beata, gdy dotarły do domu Madzi.

– Może mama pozwoli ci trochę u mnie zostać? – spytała Madzia z nadzieją. – Ty się zgadzasz, prawda? – zwróciła się do swojej mamy, gdy ta podeszła do furtki, patrząc z niepokojem na Łezkę. – Dobre wieści, mamo, weterynarz mówi, że pewnie tylko naderwała mięsień.

– Oczywiście, że możesz zostać, tym bardziej, że tak nam pomogłaś. Zadzwoń do swojej mamy, Beatko. Naprawdę nic jej nie jest? – mama Madzi delikatnie pogłaskała Łezkę. – Ojej, ale mruczy!

Madzia promieniała.

– To prawda! Pewnie czuje się lepiej, skoro znowu jest w domu.

– Madziu!

Madzia rozejrzała się i zobaczyła, że Beata biegnie do niej przez boisko.

– Jak tam Łezka?

– O wiele lepiej – odparła Madzia z radością. – Już może chodzić. Troszkę kuleje, ale nie jest tak źle.

– Pewnie strasznie się nad nią rozczulasz – Beata parsknęła śmiechem.

– Lubię ją rozpieszczać – przyznała Madzia. Nieśmiało zerknęła na koleżankę. – Mama mówiła, że mogę cię zaprosić, żebyś zobaczyła, jak Łezka się miewa.

Beata rozpromieniła się.

– Serio? To, super! Mogę przyjść dzisiaj? Po prostu wpaść po drodze do domu i ją zobaczyć?

– No pewnie – Madzia poczuła, że oblewa się rumieńcem. Nie była pewna, czy w szkole Beata będzie dla niej równie miła jak wcześniej, przez cały weekend.

– Myślisz, że pani Miller pozwoli ci się przesiąść, skoro w klasie nie ma już Kasi? – spytała Beata z namysłem. – Wystarczy miejsca, żebyś siedziała ze mną, Laurą i Kalinką.

– Chyba możemy o to zapytać – odparła Madzia, jeszcze mocniej się rumieniąc.

– Super – Beata pociągnęła ją do grupki dziewczynek, z którymi wcześniej rozmawiała. – Masz może w torbie zdjęcie Łezki, żeby wszystkim pokazać?

– Wygląda jakoś inaczej – powiedziała Beata w zamyśleniu, kiedy późnym popołudniem obie siedziały w kuchni u Madzi, patrząc na śpiącą w legowisku Łezkę.

– Te zadrapania nie są już takie okropne – stwierdziła Madzia.

– Nie, nie o to chodzi. Chyba jest po prostu szczęśliwsza. Pewnie w sobotę czuła się naprawdę bardzo źle – spojrzała na drzwi. – Czy twój tata kupił te specjalne kocie drzwiczki?

– Tak. A potem poszedł porozmawiać z tatą Janka i ustalić, kiedy Łezka będzie wychodziła na dwór. No i dowiedział się, że już dzwonili do weterynarza. Tygrys i Kitek są zapisane na zabieg na środę. Weterynarz twierdzi, że po sterylizacji na pewno będą mniej agresywne.

– Niesamowite – Beata uśmiechnęła się. – Chyba się cieszysz, że ci poradziłam, żebyś do nich poszła? O, zobacz, Łezka się obudziła!

Kotka otworzyła oczy i ziewnęła, pokazując różowy języczek. Potem posłała Madzi czułe spojrzenie, wyszła ze swojego legowiska i wdrapała się jej na kolana. Z zaciekawieniem popatrzyła na Beatę.

– Mogę ją pogłaskać?

Madzia pokiwała głową.

– Nie wydaje się taka roztrzęsiona jak wcześniej. I to na pewno nie dzięki nowym drzwiczkom, bo jeszcze nie wychodziła na dwór.

– Może po prostu się cieszy, że jest w domu? – powiedziała Beata.

Madzia uśmiechnęła się do Łezki. Kotka najwyraźniej znowu miała zamiar zasnąć, tym razem na cieplejszym i przytulniejszym posłaniu.

Wtuliła się mocniej w sweter Madzi i zaczęła mruczeć z każdym oddechem coraz głośniej. Była bezpieczna. I wcale już się nie bała.

Zaopiekuj się mną

Zaopiekuj się mną

nowa seria
HOLLY WEBB

Jack Russell Terrier: mały pies, WIELKI charakter!
Chociaż te małe, żwawe psy wyhodowano jako rasę myśliwską, świetnie nadają się też na domowych ulubieńców. Są bardzo odważne i wierne, a przede wszystkim pragną być w centrum uwagi!

Rodzina Tomczyków zdecydowała się wreszcie na pieska i nikt nie jest tym faktem równie podekscytowany jak Ela! Marzy o małym, skorym do pieszczot szczeniaku, który będzie spadł w jej łóżku. Ale jej pewny siebie starszy brat i siostra widzą to inaczej.

Gdy Ela nadaje nowemu szczeniakowi imię Urwis, nie zdaje sobie sprawy, że trafiła w sedno...

Nieposłuszeństwo Urwisa daje się wszystkim we znaki, więc mama i tata postanawiają, że pora zabrać go na szkolenie dla psów. Ela uważa, że pomysł jest genialny.
Ale gdzie tylko pojawia się Urwis, zaczynają się kłopoty...